틀려도 괜찮아

마키타 신지 글 │ 하세가와 토모코 그림 │ 유문조 옮김

토토북

틀려도 괜찮아, 교실에선.
너도 나도 자신 있게
손을 들고

　　틀린 생각을 말해.
　　틀린 답을 말해.

틀리는 걸 두려워하면 안 돼.
틀린다고 웃으면 안 돼.
틀린 의견에
틀린 답에

이 럴 까　저 럴 까

함께 생각하면서
정답을 찾아가는 거야.
그렇게 다 같이 자라나는 거야.

언제나 맞는 답을
말해야한다고 생각하니까
틀리는 게 무섭고 두려워져.

손도 못 든 채
작게 움츠러들고

입은 꾹 다문 채
시간만 흘러가.

할 수 없이 선생님은 혼자서 설명하고
아이들은 딴청만….

그러면
조금도 자라날 수 없어.

구름 위의 신령님도 틀릴 때가 있는데
태어난 지 얼마 안 된 우리들이
틀린다고 뭐가 이상해.

틀리는 건 당연하다고.

고개를 푹 수그리고

살며시 든 손, 처음으로 든 손.

선생님이 나를 시켰어.

가슴은 **쿵쾅쿵쾅**
얼굴은 **화끈화끈**

일어선 순간 다 잊어버렸어.

뭐라고 말하긴 했는데
뭐라고 말했는지 나도 몰라.
슬그머니 앉아버렸지.

쿵쾅쿵쾅

온몸에 힘이 쭉 빠지고
　　　　　　다리는 후들후들.

이렇게 말하면 좋았을 걸,
저렇게 말하면 좋았을 걸.

나중에야 좋은 생각이 떠올라.

그래도 괜찮아, 괜찮고말고.

그렇게 자꾸자꾸 얘기하다 보면
두근거림도 줄어들고
말하고 싶은 것을
말할 수 있게 되는 거야.

처음부터 멋진 말이 나올 수 있는 건 아니야.
처음부터 맞는 답을 말할 수 있는 건 아니야.

하고 싶은 말의 화살

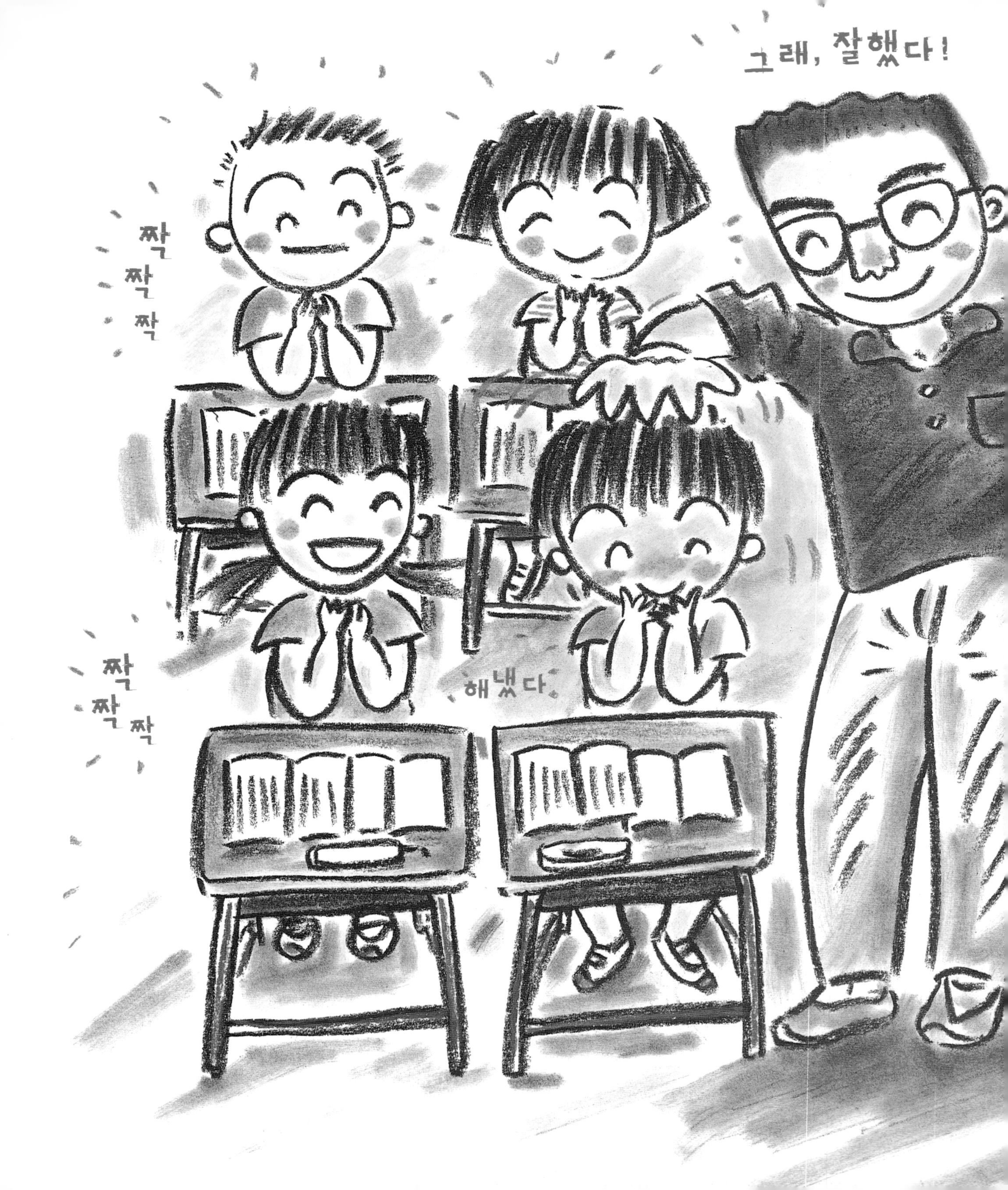
그래, 잘했다!
짝
짝
짝
짝
짝
짝
해냈다.

자꾸자꾸 말하다 보면
자꾸자꾸 틀리다 보면

하고 싶은 얘기의
절반 정도는
말할 수 있게 되는 거야.

그리고 가끔
정답을 말할 수도 있지.

틀리는 것투성이인

우리들의 교실.

두려워하면 안 돼.

놀리면 안 돼.

마음 놓고 손을 들자.

마음 놓고 틀리자.

틀렸다고 웃거나
바보라고 놀리거나
화내는 사람은 없어.

틀릴 땐 친구들이
고쳐주고 가르쳐 주면 되지.

어려울 땐 선생님이
지혜를 내어 가르쳐 주면 되지.

그런 교실을 만들자.

'너 좀 이상해' 라고 말해도

　　　'너 틀렸어' 라고 말해도 **괜찮아.**

누가 웃으면 어때.

틀리는 게 왜 나빠.

틀린 걸 알게 되면

스스로 고치면 되지.

그러니까

누가 웃거나 화를 낸다 해도

절대 기 죽으면 안 돼!

이런
멋진
교실을
만들자.

글 마키타 신지   1925년 시즈오카현에서 태어났습니다. 시즈오카 사범학교를 졸업하고, 공립 초·중학교에서 근무하며 판화 교육, 작문 교육, 탁구 지도에 힘썼습니다. 현재 일본교육판화협회, 일본작문회에 소속되어 활동하고 있습니다. 지은 책으로는 『판화로 보는 소년기』 『생명을 조각한 소년』 『친구를 돌아보면』 『모래 폭풍』 등이 있습니다.

그림 하세가와 토모코   그림책 작가이자 화가. 1947년 홋카이도에서 태어났습니다. 무사시노예술대학 디자인과를 졸업했고, 현재 일본아동출판미술연맹 회원으로 있습니다. 그린 책으로는 『양구름 너머에』 『토끼의 눈』 『이것이 우리 엄마』 『어둠의 여왕』 등이 있습니다.

옮긴이 유문조   일본에서 그림책 공부를 하고 돌아와, 지금은 좋은 그림책을 만들기 위해 애쓰고 있습니다. 지금까지 만든 책으로는 『뭐하니?』 『무늬가 살아나요』 『그림 옷을 입은 집』 등이 있습니다.

틀려도 괜찮아

초판 1쇄 2006년 2월 15일 | **초판 7쇄** 2006년 4월 22일

글 마키타 신지 | **그림** 하세가와 토모코 | **옮김** 유문조

편집 이세은·윤정현·조연진 | **디자인** 곰곰디자인·조희정

펴낸이 이재일

펴낸곳 토토북 121-210 서울시 마포구 서교동 380-6 원오빌딩 3층

전화 02-332-6255 | **팩스** 02-332-6286 | **전자우편** totobook@korea.com

출판등록 2002년 5월 30일 제10-2394호

값 8,500원

ISBN 89-90611-26-1 77830

이 책은 저작권법에 의해 보호를 받는 저작물이므로 무단 전재 및 무단 복제를 금합니다.

잘못된 책은 바꾸어 드립니다.

KYOUSHITSU WA MACHIGAU TOKORO DA

ⓒ SHINJI MAKITA / TOMOKO HASEGAWA 2004

Originally published in Japan in 2004 by KODOMO NO MIRAISHA

Korean Translation rights arranged though TOHAN CORPORATION, TOKYO.,

and SHINWON AGENCY, PAJU.